Dans la même collection :

Aladin et la Lampe merveilleuse
Les Aventures de Pinocchio
Les Aventures de Tom Pouce
Barbe-Bleue
Blanche-Neige
La Belle au bois dormant
La Belle et la Bête
Cendrillon
Les Chevaliers de la Table ronde
Cléopâtre, reine d'Égypte
Don Quichotte
Les Douze Travaux d'Hercule
Gargantua
Histoires comme ça
Histoires naturelles
Le Horla
L'Île au trésor
Jack et le Haricot géant
Jason et la Toison d'or
La Légende de la ville d'Ys
Moby Dick
Peau d'Âne
La Reine de Saba
Le Roman de Renart
Sindbad le marin
Tristan et Iseult
Les Voyages de Gulliver
Les Voyages d'Ulysse

Dépôt légal : 2e trimestre 2012
ISBN : 978.2.7459.0066.1
Imprimé en Italie par Zanardi

Jean de La Fontaine

Fables

Illustrations de
François Crozat

MiLAN

SOMMAIRE

La Cigale et la Fourmi   8

La Laitière et le Pot au lait   10

La Grenouille qui se veut faire aussi grosse

que le bœuf   12

La Mort et le Bûcheron   14

La Tortue et les Deux Canards   16

La Poule aux œufs d'or   18

Le Corbeau et le Renard   20

Le Chêne et le Roseau   22

Le Coche et la Mouche   24

L'Ours et les Deux Compagnons   26

Le Conseil tenu par les rats   28

Le Héron   30

Le Laboureur et ses enfants   32

Le Lièvre et la Tortue   34

Le Lion et le Moucheron   36

Le Loup et l'Agneau   38

Le Cochet, le Chat et le Souriceau   40

Le Loup et le Chien   42

Le Pot de terre et le Pot de fer   44

Le Petit Poisson et le Pêcheur   46

Le Lion et le Rat 48

Le Rat de ville et le Rat des champs 50

Le Renard et la Cigogne 52

Le Savetier et le Financier 54

Le Vieux Chat et la Jeune Souris 56

Le Loup, la Chèvre et le Chevreau 58

Les Animaux malades de la peste 60

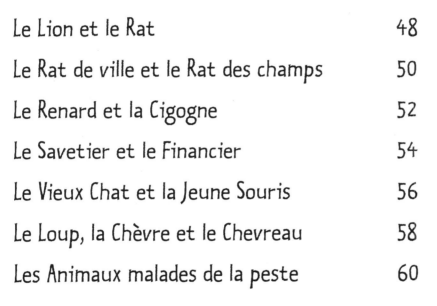

La Cigale et la Fourmi

La cigale, ayant chanté
        Tout l'été,
Se trouva fort dépourvue
Quand la bise fut venue :
Pas un seul petit morceau
De mouche ou de vermisseau.
Elle alla crier famine
Chez la fourmi sa voisine,
La priant de lui prêter
Quelque grain pour subsister
Jusqu'à la saison nouvelle.
« Je vous paierai, lui dit-elle,
Avant l'août, foi d'animal,
Intérêt et principal. »
La fourmi n'est pas prêteuse :
C'est là son moindre défaut.
« Que faisiez-vous au temps chaud ?
Dit-elle à cette emprunteuse.
– Nuit et jour à tout venant
Je chantais, ne vous déplaise.
– Vous chantiez ? j'en suis fort aise :
Eh bien ! dansez maintenant. »

LA LAITIÈRE ET LE POT AU LAIT

Perrette, sur sa tête ayant un pot au lait
      Bien posé sur un coussinet,
Prétendait arriver sans encombre à la ville.
Légère et court vêtue, elle allait à grands pas,
Ayant mis ce jour-là, pour être plus agile,
      Cotillon simple et souliers plats.
      Notre laitière ainsi troussée
      Comptait déjà dans sa pensée
Tout le prix de son lait, en employait l'argent ;
Achetait un cent d'œufs, faisait triple couvée :
La chose allait à bien par son soin diligent.
      « Il m'est, disait-elle, facile
D'élever des poulets autour de ma maison ;
      Le renard sera bien habile
S'il ne m'en laisse assez pour avoir un cochon.
Le porc à s'engraisser coûtera peu de son ;
Il était, quand je l'eus, de grosseur raisonnable :
J'aurai, le revendant, de l'argent bel et bon.
Et qui m'empêchera de mettre en notre étable,
Vu le prix dont il est, une vache et son veau,
Que je verrai sauter au milieu du troupeau ? »
Perrette là-dessus saute aussi, transportée ;
Le lait tombe : adieu veau, vache, cochon, couvée.
La dame de ces biens, quittant d'un œil marri
      Sa fortune ainsi répandue,
      Va s'excuser à son mari,
      En grand danger d'être battue.
      Le récit en farce en fut fait ;
      On l'appela le Pot au lait.

      Quel esprit ne bat la campagne ?
      Qui ne fait châteaux en Espagne ?
Picrochole, Pyrrhus, la laitière, enfin tous,

Autant les sages que les fous.
Chacun songe en veillant ; il n'est rien de plus doux :
Une flatteuse erreur emporte alors nos âmes ;
Tout le bien du monde est à nous,
Tous les honneurs, toutes les femmes.
Quand je suis seul, je fais au plus brave un défi ;
Je m'écarte, je vais détrôner le Sophi ;
On m'élit roi, mon peuple m'aime ;
Les diadèmes vont sur ma tête pleuvant :
Quelque accident fait-il que je rentre en moi-même,
Je suis gros Jean comme devant.

11

LA GRENOUILLE QUI SE VEUT FAIRE AUSSI GROSSE QUE LE BŒUF

Une grenouille vit un bœuf
	Qui lui sembla de belle taille.
Elle, qui n'était pas grosse en tout comme un œuf,
Envieuse, s'étend, et s'enfle, et se travaille,
	Pour égaler l'animal en grosseur,
	Disant : « Regardez bien, ma sœur ;
Est-ce assez ? dites-moi ; n'y suis-je point encore ?
– Nenni. – M'y voici donc ? – Point du tout. – M'y voilà ?
– Vous n'en approchez point. » La chétive pécore
	S'enfla si bien qu'elle creva.

Le monde est plein de gens qui ne sont pas plus sages :
Tout bourgeois veut bâtir comme les grands seigneurs,
	Tout petit prince a des ambassadeurs,
	Tout marquis veut avoir des pages.

13

LA MORT ET LE BÛCHERON

Un pauvre bûcheron, tout couvert de ramée,
Sous le faix du fagot aussi bien que des ans
Gémissant et courbé, marchait à pas pesants,
Et tâchait de gagner sa chaumine enfumée.
Enfin, n'en pouvant plus d'effort et de douleur,
Il met bas son fagot, il songe à son malheur.
« Quel plaisir a-t-il eu depuis qu'il est au monde ?
En est-il un plus pauvre en la machine ronde ?
Point de pain quelquefois, et jamais de repos. »
Sa femme, ses enfants, les soldats, les impôts,
        Le créancier, et la corvée
Lui font d'un malheureux la peinture achevée.
Il appelle la Mort. Elle vient sans tarder,
        Lui demande ce qu'il faut faire.
        « C'est, dit-il, afin de m'aider
À recharger ce bois ; tu ne tarderas guère. »

        Le trépas vient tout guérir ;
        Mais ne bougeons d'où nous sommes :
        Plutôt souffrir que mourir,
        C'est la devise des hommes.

14

La Tortue et les Deux Canards

Une tortue était, à la tête légère,
Qui, lasse de son trou, voulut voir le pays.
Volontiers on fait cas d'une terre étrangère ;
Volontiers gens boiteux haïssent le logis.
        Deux canards, à qui la commère
        Communiqua ce beau dessein,
Lui dirent qu'ils avaient de quoi la satisfaire.
        « Voyez-vous ce large chemin ?
Nous vous voiturerons, par l'air, en Amérique :
        Vous verrez mainte république,
Maint royaume, maint peuple ; et vous profiterez
Des différentes mœurs que vous remarquerez.
Ulysse en fit autant. » On ne s'attendait guère
        De voir Ulysse en cette affaire.
La tortue écouta la proposition.
Marché fait, les oiseaux forgent une machine
        Pour transporter la pèlerine.
Dans la gueule, en travers, on lui passe un bâton.

« Serrez bien, dirent-ils, gardez de lâcher prise. »
Puis chaque canard prend ce bâton par un bout.
La tortue enlevée, on s'étonne partout
        De voir aller en cette guise
        L'animal lent et sa maison,
Justement au milieu de l'un et l'autre oison.
« Miracle ! criait-on : venez voir dans les nues
        Passer la reine des tortues.
– La reine ! vraiment oui : je la suis en effet ;
Ne vous en moquez point. » Elle eût beaucoup mieux fait
De passer son chemin sans dire aucune chose ;
Car, lâchant le bâton en desserrant les dents,
Elle tombe, elle crève aux pieds des regardants.
Son indiscrétion de sa perte fut cause.

Imprudence, babil, et sotte vanité,
        Et vaine curiosité,
        Ont ensemble étroit parentage.
        Ce sont enfants tous d'un lignage.

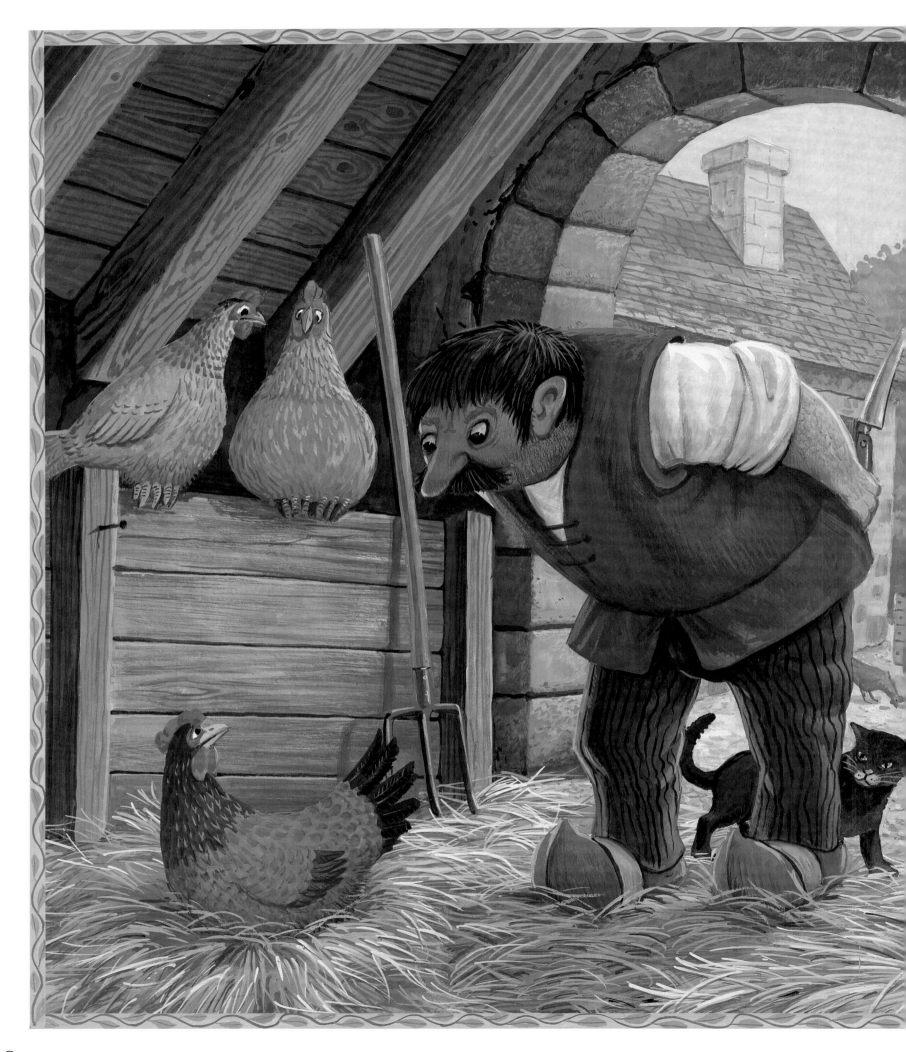

18

LA POULE AUX ŒUFS D'OR

L'avarice perd tout en voulant tout gagner.
Je ne veux, pour le témoigner,
Que celui dont la poule, à ce que dit la fable,
Pondait tous les jours un œuf d'or.
Il crut que dans son corps elle avait un trésor :
Il la tua, l'ouvrit, et la trouva semblable
À celles dont les œufs ne lui rapportaient rien,
S'étant lui-même ôté le plus beau de son bien.

Belle leçon pour les gens chiches !
Pendant ces derniers temps, combien en a-t-on vus
Qui du soir au matin sont pauvres devenus,
Pour vouloir trop tôt être riches !

LE CORBEAU ET LE RENARD

Maître corbeau, sur un arbre perché,
    Tenait en son bec un fromage.
Maître renard, par l'odeur alléché,
    Lui tint à peu près ce langage :
    « Hé ! bonjour, monsieur du corbeau,
Que vous êtes joli ! que vous me semblez beau !
    Sans mentir, si votre ramage
    Se rapporte à votre plumage,
Vous êtes le phénix des hôtes de ces bois. »
À ces mots le corbeau ne se sent pas de joie ;
    Et, pour montrer sa belle voix,
Il ouvre un large bec, laisse tomber sa proie.
Le renard s'en saisit, et dit : « Mon bon monsieur,
    Apprenez que tout flatteur
    Vit aux dépens de celui qui l'écoute :
Cette leçon vaut bien un fromage, sans doute. »
    Le corbeau, honteux et confus,
Jura, mais un peu tard, qu'on ne l'y prendrait plus.

21

LE CHÊNE ET LE ROSEAU

Le chêne un jour dit au roseau :
« Vous avez bien sujet d'accuser la nature ;
Un roitelet pour vous est un pesant fardeau ;
        Le moindre vent, qui d'aventure
        Fait rider la face de l'eau,
        Vous oblige à baisser la tête,
Cependant que mon front, au Caucase pareil,
Non content d'arrêter les rayons du soleil,
        Brave l'effort de la tempête.
Tout vous est aquilon, tout me semble zéphyr.
Encor si vous naissiez à l'abri du feuillage
        Dont je couvre le voisinage,
        Vous n'auriez pas tant à souffrir :
        Je vous défendrais de l'orage ;
        Mais vous naissez le plus souvent
Sur les humides bords des royaumes du vent.
La nature envers vous me semble bien injuste.
– Votre compassion, lui répondit l'arbuste,
Part d'un bon naturel ; mais quittez ce souci :
        Les vents me sont moins qu'à vous redoutables ;
Je plie, et ne romps pas. Vous avez jusqu'ici
        Contre leurs coups épouvantables
        Résisté sans courber le dos ;
Mais attendons la fin. » Comme il disait ces mots,
Du bout de l'horizon accourt avec furie
        Le plus terrible des enfants
Que le Nord eût portés jusque-là dans ses flancs.
        L'arbre tient bon ; le roseau plie.
        Le vent redouble ses efforts,
        Et fait si bien qu'il déracine
Celui de qui la tête au ciel était voisine,
Et dont les pieds touchaient à l'empire des morts.

Le Coche et la Mouche

Dans un chemin montant, sablonneux, malaisé,
Et de tous les côtés au soleil exposé,
      Six forts chevaux tiraient un coche.
Femmes, moine, vieillards, tout était descendu ;
L'attelage suait, soufflait, était rendu.
Une mouche survient, et des chevaux s'approche,
Prétend les animer par son bourdonnement,
Pique l'un, pique l'autre, et pense à tout moment
      Qu'elle fait aller la machine,
S'assied sur le timon, sur le nez du cocher.
      Aussitôt que le char chemine,
      Et qu'elle voit les gens marcher,
Elle s'en attribue uniquement la gloire,
Va, vient, fait l'empressée : il semble que ce soit
Un sergent de bataille allant en chaque endroit
Faire avancer ses gens et hâter la victoire.
      La mouche, en ce commun besoin,
Se plaint qu'elle agit seule, et qu'elle a tout le soin ;
Qu'aucun n'aide aux chevaux à se tirer d'affaire.
      Le moine disait son bréviaire :
Il prenait bien son temps ! une femme chantait :
C'était bien de chansons qu'alors il s'agissait !
Dame mouche s'en va chanter à leurs oreilles,
      Et fait cent sottises pareilles.
Après bien du travail, le coche arrive au haut :
« Respirons maintenant ! dit la mouche aussitôt :
J'ai tant fait que nos gens sont enfin dans la plaine.
Çà, Messieurs les chevaux, payez-moi de ma peine. »
Ainsi certaines gens, faisant les empressés,
      S'introduisent dans les affaires :
      Ils font partout les nécessaires,
Et, partout importuns, devraient être chassés.

24

L'Ours et les Deux Compagnons

Deux compagnons, pressés d'argent,
À leur voisin fourreur vendirent
La peau d'un ours encor vivant,
Mais qu'ils tueraient bientôt, du moins à ce qu'ils dirent.
C'était le roi des ours au compte de ces gens.
Le marchand à sa peau devait faire fortune ;
Elle garantirait des froids les plus cuisants :
On en pourrait fourrer plutôt deux robes qu'une.
Dindenaut prisait moins ses moutons qu'eux leur ours :
Leur, à leur compte, et non à celui de la bête.
S'offrant de la livrer au plus tard dans deux jours,
Ils conviennent de prix, et se mettent en quête,
Trouvent l'ours qui s'avance et vient vers eux au trot.
Voilà mes gens frappés comme d'un coup de foudre.
Le marché ne tint pas ; il fallut le résoudre :
D'intérêts contre l'ours, on n'en dit pas un mot.
L'un des deux compagnons grimpe au faîte d'un arbre ;
        L'autre, plus froid que n'est un marbre,
Se couche sur le nez, fait le mort, tient son vent,
        Ayant quelque part ouï dire
        Que l'ours s'acharne peu souvent
Sur un corps qui ne vit, ne meut, ni ne respire.
Seigneur ours, comme un sot, donna dans ce panneau :
Il voit ce corps gisant, le croit privé de vie ;
        Et de peur de supercherie,
Le tourne, le retourne, approche son museau,
        Flaire aux passages de l'haleine.
« C'est, dit-il, un cadavre ; ôtons-nous, car il sent. »
À ces mots, l'ours s'en va dans la forêt prochaine.
L'un de nos deux marchands de son arbre descend,
Court à son compagnon, lui dit que c'est merveille
Qu'il n'ait eu seulement que la peur pour tout mal.
« Eh bien ! ajouta-t-il, la peau de l'animal ?
        Mais que t'a-t-il dit à l'oreille ?

Car il s'approchait de bien près,
Te retournant avec sa serre.
– Il m'a dit qu'il ne faut jamais
Vendre la peau de l'ours qu'on ne l'ait mis par terre. »

27

CONSEIL TENU PAR LES RATS

Un chat, nommé Rodilardus,
Faisait des rats telle déconfiture
Que l'on n'en voyait presque plus,
Tant il en avait mis dedans la sépulture.
Le peu qu'il en restait, n'osant quitter son trou,
Ne trouvait à manger que le quart de son sou,
Et Rodilard passait, chez la gent misérable,
Non pour un chat, mais pour un diable.
Or, un jour qu'au haut et au loin
Le galant alla chercher femme,
Pendant tout le sabbat qu'il fit avec sa dame,
Le demeurant des rats tint chapitre en un coin
Sur la nécessité présente.
Dès l'abord, leur doyen, personne fort prudente,

Opina qu'il fallait, et plus tôt que plus tard,
Attacher un grelot au cou de Rodilard ;
     Qu'ainsi, quand il irait en guerre,
De sa marche avertis, ils s'enfuiraient en terre ;
     Qu'il n'y savait que ce moyen.
Chacun fut de l'avis de monsieur le doyen :
Chose ne leur parut à tous plus salutaire.
La difficulté fut d'attacher le grelot.
L'un dit : « Je n'y vas point, je ne suis pas si sot » ;
L'autre : « Je ne saurais. » Si bien que sans rien faire
    On se quitta. J'ai maints chapitres vus,
    Qui pour néant se sont ainsi tenus ;
Chapitres, non de rats, mais chapitres de moines,
    Voire chapitres de chanoines.
    Ne faut-il que délibérer,
    La cour en conseillers foisonne ;
    Est-il besoin d'exécuter,
    L'on ne rencontre plus personne.

Le Héron

Un jour, sur ses longs pieds, allait, je ne sais où,
Le héron au long bec emmanché d'un long cou.
    Il côtoyait une rivière.
L'onde était transparente ainsi qu'aux plus beaux jours ;
Ma commère la carpe y faisait mille tours
    Avec le brochet son compère.
Le héron en eût fait aisément son profit :
Tous approchaient du bord ; l'oiseau n'avait qu'à prendre.
    Mais il crut mieux faire d'attendre
    Qu'il eût un peu plus d'appétit :
Il vivait de régime, et mangeait à ses heures.
Après quelques moments, l'appétit vint : l'oiseau,
    S'approchant du bord, vit sur l'eau
Des tanches qui sortaient du fond de ces demeures.
Le mets ne lui plut pas ; il s'attendait à mieux,
    Et montrait un goût dédaigneux,
    Comme le rat du bon Horace.

« Moi, des tanches ? dit-il ; moi, héron, que je fasse
Une si pauvre chère ? Et pour qui me prend-on ? »
La tanche rebutée, il trouva du goujon.
« Du goujon ! c'est bien là le dîner d'un héron !
J'ouvrirais pour si peu le bec ! aux dieux ne plaise ! »
Il l'ouvrit pour bien moins : tout alla de façon
      Qu'il ne vit plus aucun poisson.
La faim le prit : il fut tout heureux et tout aise
      De rencontrer un limaçon.

      Ne soyons pas si difficiles :
Les plus accommodants, ce sont les plus habiles ;
On hasarde de perdre en voulant trop gagner.
      Gardez-vous de rien dédaigner [...].

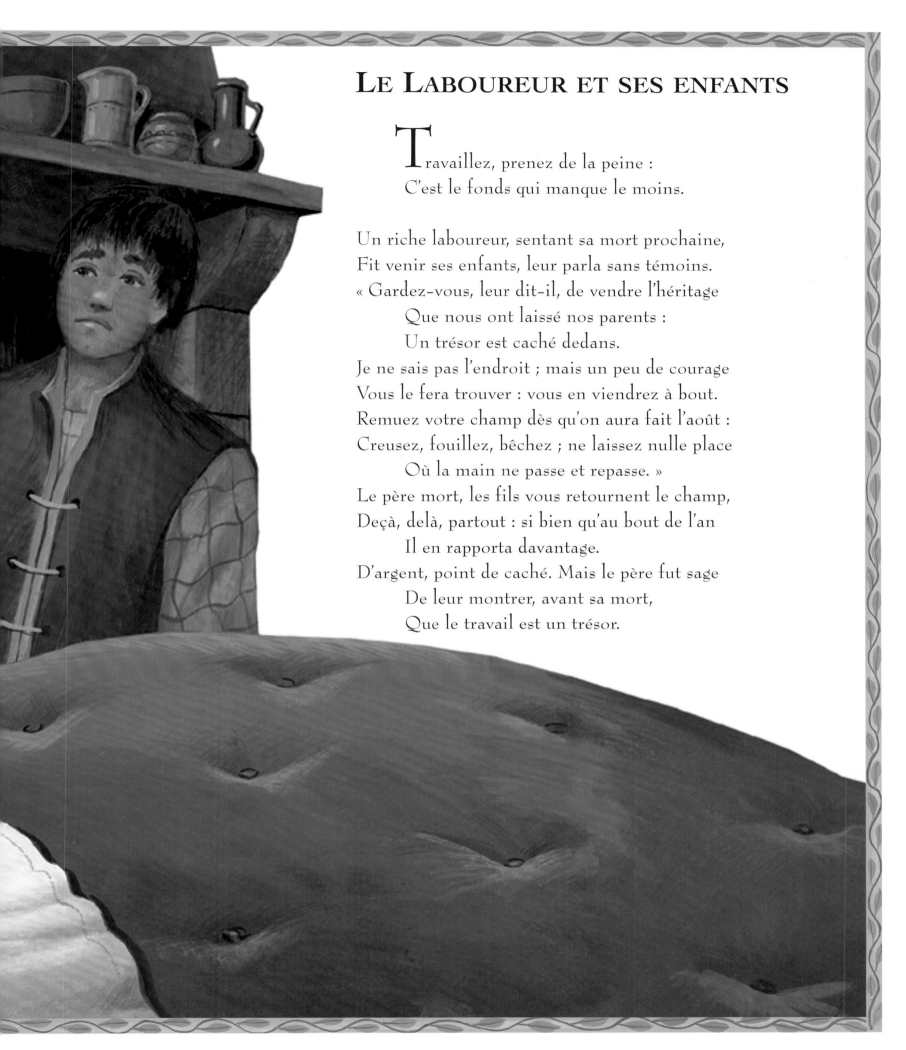

Le Laboureur et ses enfants

Travaillez, prenez de la peine :
C'est le fonds qui manque le moins.

Un riche laboureur, sentant sa mort prochaine,
Fit venir ses enfants, leur parla sans témoins.
« Gardez-vous, leur dit-il, de vendre l'héritage
    Que nous ont laissé nos parents :
    Un trésor est caché dedans.
Je ne sais pas l'endroit ; mais un peu de courage
Vous le fera trouver : vous en viendrez à bout.
Remuez votre champ dès qu'on aura fait l'août :
Creusez, fouillez, bêchez ; ne laissez nulle place
    Où la main ne passe et repasse. »
Le père mort, les fils vous retournent le champ,
Deçà, delà, partout : si bien qu'au bout de l'an
    Il en rapporta davantage.
D'argent, point de caché. Mais le père fut sage
    De leur montrer, avant sa mort,
    Que le travail est un trésor.

LE LIÈVRE ET LA TORTUE

Rien ne sert de courir ; il faut partir à point :
Le lièvre et la tortue en sont un témoignage.
« Gageons, dit celle-ci, que vous n'atteindrez point
Sitôt que moi ce but. – Sitôt ? Êtes-vous sage ?
    Repartit l'animal léger :
    Ma commère, il vous faut purger
    Avec quatre grains d'ellébore.
    – Sage ou non, je parie encore. »
    Ainsi fut fait ; et de tous deux
    On mit près du but les enjeux :
    Savoir quoi, ce n'est pas l'affaire,
    Ni de quel juge l'on convint.

Notre lièvre n'avait que quatre pas à faire,
J'entends de ceux qu'il fait lorsque, prêt d'être atteint,
Il s'éloigne des chiens, les renvoie aux calendes,
    Et leur fait arpenter les landes.
Ayant, dis-je, du temps de reste pour brouter,
    Pour dormir et pour écouter
D'où vient le vent, il laisse la tortue
    Aller son train de sénateur.
    Elle part, elle s'évertue,
    Elle se hâte avec lenteur.
Lui cependant méprise une telle victoire,
    Tient la gageure à peu de gloire,
    Croit qu'il y va de son honneur
De partir tard. Il broute, il se repose,
    Il s'amuse à toute autre chose
    Qu'à la gageure. À la fin, quand il vit
Que l'autre touchait presque au bout de la carrière,
Il partit comme un trait ; mais les élans qu'il fit
Furent vains : la tortue arriva la première.
« Eh bien ! lui cria-t-elle, avais-je pas raison ?
    De quoi vous sert votre vitesse ?
    Moi l'emporter ! et que serait-ce
    Si vous portiez une maison ? »

LE LION ET LE MOUCHERON

« Va-t'en, chétif insecte, excrément de la terre ! »
 C'est en ces mots que le lion
 Parlait un jour au moucheron.
 L'autre lui déclara la guerre.

« Penses-tu, lui dit-il, que ton titre de roi
    Me fasse peur ni me soucie ?
    Un bœuf est plus puissant que toi :
    Je le mène à ma fantaisie. »
    À peine il achevait ces mots
    Que lui-même il sonna la charge,
    Fut le trompette et le héros.
    Dans l'abord il se met au large ;
    Puis prend son temps, fond sur le cou
    Du lion, qu'il rend presque fou.
Le quadrupède écume, et son œil étincelle ;
Il rugit ; on se cache, on tremble à l'environ ;
    Et cette alarme universelle
    Est l'ouvrage d'un moucheron.
Un avorton de mouche en cent lieux le harcelle :
Tantôt pique l'échine, et tantôt le museau,
    Tantôt entre au fond du naseau.
La rage alors se trouve en son faîte montée.
L'invisible ennemi triomphe, et rit de voir
Qu'il n'est griffe ni dent en la bête irritée
Qui de la mettre en sang ne fasse son devoir.
Le malheureux lion se déchire lui-même,
Fait résonner sa queue à l'entour de ses flancs,
Bat l'air, qui n'en peut mais ; et sa fureur extrême
Le fatigue, l'abat : le voilà sur les dents.
L'insecte du combat se retire avec gloire :
Comme il sonna la charge, il sonne la victoire,
Va partout l'annoncer et rencontre en chemin
    L'embuscade d'une araignée ;
    Il y rencontre aussi sa fin.

Quelle chose par là nous peut être enseignée ?
J'en vois deux, dont l'une est qu'entre nos ennemis
Les plus à craindre sont souvent les plus petits ;
L'autre, qu'aux grands périls tel a pu se soustraire,
    Qui périt pour la moindre affaire.

LE LOUP ET L'AGNEAU

La raison du plus fort est toujours la meilleure :
     Nous l'allons montrer tout à l'heure.

     Un agneau se désaltérait
     Dans le courant d'une onde pure.
Un loup survient à jeun, qui cherchait aventure,
     Et que la faim en ces lieux attirait.
« Qui te rend si hardi de troubler mon breuvage ?
     Dit cet animal plein de rage :
Tu seras châtié de ta témérité.
– Sire, répond l'agneau, que Votre Majesté
     Ne se mette pas en colère ;
     Mais plutôt qu'elle considère
     Que je me vas désaltérant
          Dans le courant,
     Plus de vingt pas au-dessous d'elle ;
Et que par conséquent, en aucune façon,
     Je ne puis troubler sa boisson.
– Tu la troubles, reprit cette bête cruelle ;
Et je sais que de moi tu médis l'an passé.
– Comment l'aurais-je fait si je n'étais pas né ?
     Reprit l'agneau ; je tète encor ma mère.
– Si ce n'est toi, c'est donc ton frère.
– Je n'en ai point. – C'est donc quelqu'un des tiens ;
     Car vous ne m'épargnez guère,
     Vous, vos bergers et vos chiens.
On me l'a dit : il faut que je me venge. »
Là-dessus, au fond des forêts
Le loup l'emporte, et puis le mange,
Sans autre forme de procès.

39

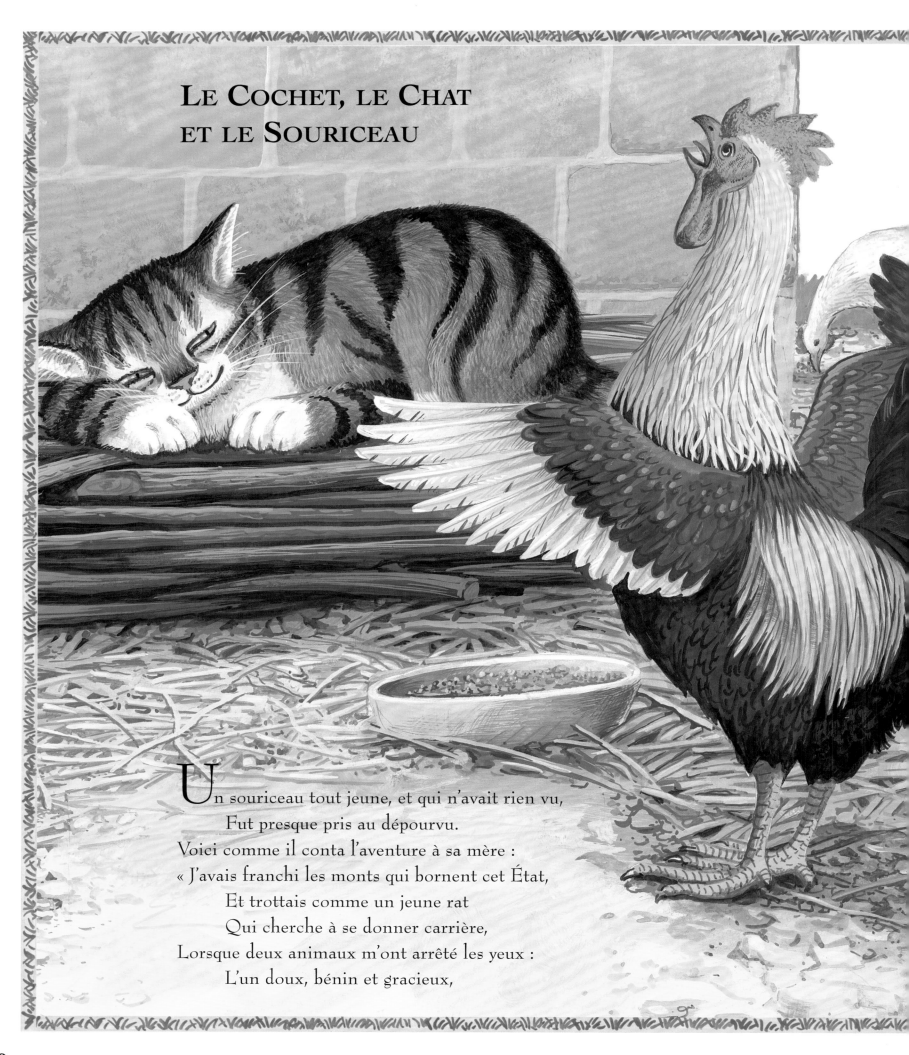

Le Cochet, le Chat
et le Souriceau

Un souriceau tout jeune, et qui n'avait rien vu,
　　　Fut presque pris au dépourvu.
Voici comme il conta l'aventure à sa mère :
« J'avais franchi les monts qui bornent cet État,
　　　Et trottais comme un jeune rat
　　　Qui cherche à se donner carrière,
Lorsque deux animaux m'ont arrêté les yeux :
　　　L'un doux, bénin et gracieux,

Et l'autre turbulent et plein d'inquiétude ;
    Il a la voix perçante et rude,
    Sur la tête un morceau de chair,
Une sorte de bras dont il s'élève en l'air
    Comme pour prendre sa volée,
    La queue en panache étalée. »
Or c'était un cochet[1] dont notre souriceau
    Fit à sa mère le tableau
Comme d'un animal venu de l'Amérique.
« Il se battait, dit-il, les flancs avec ses bras,
    Faisant tel bruit et tel fracas,
Que moi, qui, grâce aux dieux, de courage me pique,
    En ai pris la fuite de peur,
    Le maudissant de très bon cœur.
    Sans lui j'aurais fait connaissance
Avec cet animal qui m'a semblé si doux :
    Il est velouté comme nous,
Marqueté, longue queue, une humble contenance,
Un modeste regard, et pourtant l'œil luisant.
    Je le crois fort sympathisant
Avec messieurs les rats ; car il a des oreilles
    En figure aux nôtres pareilles.
Je l'allais aborder, quand d'un son plein d'éclat
    L'autre m'a fait prendre la fuite.
– Mon fils, dit la souris, ce doucet est un chat,
    Qui, sous son minois hypocrite,
    Contre toute ta parenté
    D'un malin vouloir est porté.
    L'autre animal, tout au contraire,
    Bien éloigné de nous mal faire,
Servira quelque jour peut-être à nos repas.
Quant au chat, c'est sur nous qu'il fonde sa cuisine.
    Garde-toi, tant que tu vivras,
    De juger des gens sur la mine. »

1. Cochet : jeune coq.

41

LE LOUP ET LE CHIEN

Un loup n'avait que les os et la peau,
    Tant les chiens faisaient bonne garde.
Ce loup rencontre un dogue aussi puissant que beau,
Gras, poli, qui s'était fourvoyé par mégarde.
    L'attaquer, le mettre en quartiers,
    Sire loup l'eût fait volontiers ;
    Mais il fallait livrer bataille,
    Et le mâtin était de taille
    À se défendre hardiment.
    Le loup donc l'aborde humblement,
Entre en propos, et lui fait compliment
    Sur son embonpoint, qu'il admire.
    « Il ne tiendra qu'à vous, beau sire,
D'être aussi gras que moi, lui repartit le chien.
    Quittez les bois, vous ferez bien :
    Vos pareils y sont misérables,
    Cancres, hères et pauvres diables,
Dont la condition est de mourir de faim.
Car quoi ? rien d'assuré : point de franche lippée ;
    Tout à la pointe de l'épée.

Suivez-moi : vous aurez un bien meilleur destin. »

       Le loup reprit : « Que me faudra-t-il faire ?

– Presque rien, dit le chien : donner la chasse aux gens

       Portant bâtons, et mendiants ;

Flatter ceux du logis, à son maître complaire :

       Moyennant quoi votre salaire

Sera force reliefs de toutes les façons,

       Os de poulets, os de pigeons,

       Sans parler de mainte caresse. »

Le loup déjà se forge une félicité

       Qui le fait pleurer de tendresse.

Chemin faisant, il vit le col[1] du chien pelé.

« Qu'est-ce là ? lui dit-il. – Rien. – Quoi ? rien ? – Peu de chose.

– Mais encor ? – Le collier dont je suis attaché

De ce que vous voyez est peut-être la cause.

– Attaché ? dit le loup : vous ne courez donc pas

       Où vous voulez ? – Pas toujours ; mais qu'importe ?

– Il importe si bien que de tous vos repas

       Je ne veux en aucune sorte,

Et ne voudrais pas même à ce prix un trésor. »

Cela dit, maître loup s'enfuit, et court encor.

1. Col : cou.

LE POT DE TERRE ET LE POT DE FER

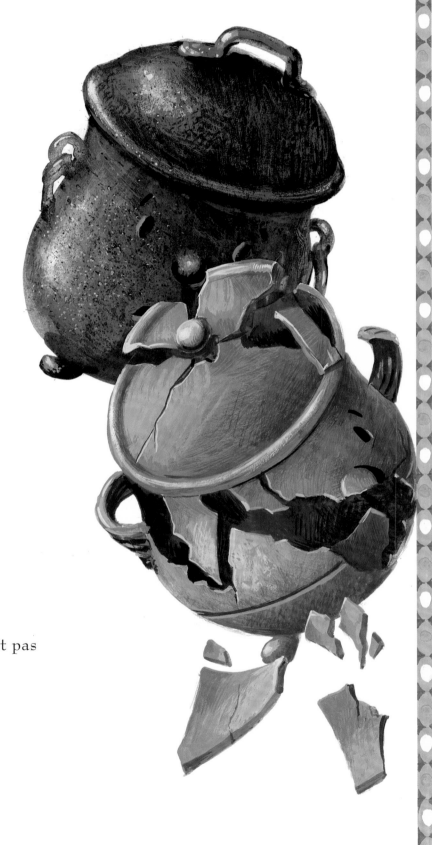

Le pot de fer proposa
Au pot de terre un voyage.
Celui-ci s'en excusa,
Disant qu'il ferait que sage
De garder le coin du feu ;
Car il lui fallait si peu,
Si peu, que la moindre chose
De son débris serait cause :
Il n'en reviendrait morceau.
« Pour vous, dit-il, dont la peau
Est plus dure que la mienne,
Je ne vois rien qui vous tienne.
– Nous vous mettrons à couvert,
Repartit le pot de fer :
Si quelque matière dure
Vous menace d'aventure,
Entre deux je passerai,
Et du coup vous sauverai. »
Cette offre le persuade.
Pot de fer son camarade
Se met droit à ses côtés.
Mes gens s'en vont à trois pieds,
Clopin-clopant comme ils peuvent,
L'un contre l'autre jetés
Au moindre hoquet qu'ils treuvent[1].
Le pot de terre en souffre ; il n'eut pas fait cent pas
Que par son compagnon il fut mis en éclats,
Sans qu'il eût lieu de se plaindre.

Ne nous associons qu'avecque nos égaux,
Ou bien il nous faudra craindre
Le destin d'un de ces pots.

1. Treuvent : trouvent.

LE PETIT POISSON ET LE PÊCHEUR

Petit poisson deviendra grand,
Pourvu que Dieu lui prête vie ;
Mais le lâcher en attendant,
Je tiens pour moi que c'est folie :
Car de le rattraper il n'est pas trop certain.

Un carpeau, qui n'était encore que fretin,
Fut pris par un pêcheur au bord d'une rivière.
« Tout fait nombre, dit l'homme en voyant son butin :
Voilà commencement de chère et de festin :
    Mettons-le en notre gibecière. »
Le pauvre carpillon lui dit en sa manière :
« Que ferez-vous de moi ? Je ne saurais fournir
    Au plus qu'une demi-bouchée.
    Laissez-moi carpe devenir :
    Je serai par vous repêchée ;
Quelque gros partisan m'achètera bien cher :
    Au lieu qu'il vous en faut chercher
    Peut-être encor cent de ma taille
Pour faire un plat : quel plat ? croyez-moi, rien qui vaille.
– Rien qui vaille ? Eh bien ! soit, repartit le pêcheur :
Poisson, mon bel ami, qui faites le prêcheur,
Vous irez dans la poêle ; et vous avez beau dire,
    Dès ce soir on vous fera frire. »

Un Tiens vaut, ce dit-on, mieux que deux Tu l'auras :
    L'un est sûr, l'autre ne l'est pas.

LE LION ET LE RAT

Il faut, autant qu'on peut, obliger[1] tout le monde :
On a souvent besoin d'un plus petit que soi.
De cette vérité deux fables feront foi,
  Tant la chose en preuves abonde.

  Entre les pattes d'un lion
Un rat sortit de terre assez à l'étourdie.
Le roi des animaux, en cette occasion,
Montra ce qu'il était, et lui donna la vie.
  Ce bienfait ne fut pas perdu.
  Quelqu'un aurait-il jamais cru
  Qu'un lion d'un rat eût affaire ?
Cependant il avint qu'au sortir des forêts
  Ce lion fut pris dans des rets[2],
Dont ses rugissements ne le purent défaire.
Sire rat accourut, et fit tant par ses dents
Qu'une maille rongée emporta tout l'ouvrage.
  Patience et longueur de temps
  Font plus que force ni que rage.

1. Obliger : faire plaisir à.
2. Rets : filet.

49

Le Rat de ville et le Rat des champs

Autrefois le rat de ville
Invita le rat des champs,
D'une façon fort civile,
À des reliefs d'ortolans.

Sur un tapis de Turquie
Le couvert se trouva mis.
Je laisse à penser la vie
Que firent ces deux amis.

Le régal fut fort honnête :
Rien ne manquait au festin ;
Mais quelqu'un troubla la fête
Pendant qu'ils étaient en train.

À la porte de la salle
Ils entendirent du bruit :
Le rat de ville détale ;
Son camarade le suit.

Le bruit cesse, on se retire :
Rats en campagne aussitôt ;
Et le citadin de dire :
« Achevons tout notre rôt.

– C'est assez, dit le rustique ;
Demain vous viendrez chez moi.
Ce n'est pas que je me pique
De tous vos festins de roi ;

Mais rien ne vient m'interrompre :
Je mange tout à loisir.
Adieu donc. Fi du plaisir
Que la crainte peut corrompre ! »

LE RENARD ET LA CIGOGNE

Compère le renard se mit un jour en frais,
Et retint à dîner commère la cigogne.
Le régal fut petit et sans beaucoup d'apprêts :
    Le galant, pour toute besogne,
Avait un brouet[1] clair ; il vivait chichement.
Ce brouet fut par lui servi sur une assiette :
La cigogne au long bec n'en put attraper miette ;
Et le drôle eut lapé le tout en un moment.
    Pour se venger de cette tromperie,
À quelque temps de là, la cigogne le prie.
« Volontiers, lui dit-il ; car avec mes amis
    Je ne fais point cérémonie. »
    À l'heure dite, il courut au logis

52

De la cigogne son hôtesse ;
Loua très fort sa politesse ;
Trouva le dîner cuit à point :
Bon appétit surtout ; renards n'en manquent point.
Il se réjouissait à l'odeur de la viande
Mise en menus morceaux, et qu'il croyait friande.
On servit, pour l'embarrasser,
En un vase à long col et d'étroite embouchure.
Le bec de la cigogne y pouvait bien passer ;
Mais le museau du sire était d'autre mesure.
Il lui fallut à jeun retourner au logis,
Honteux comme un renard qu'une poule aurait pris,
Serrant la queue et portant bas l'oreille.

Trompeurs, c'est pour vous que j'écris :
Attendez-vous à la pareille.

1. Brouet : soupe.

53

LE SAVETIER ET LE FINANCIER

Un savetier chantait du matin jusqu'au soir ;
C'était merveilles de le voir,
Merveilles de l'ouïr ; il faisait des passages,
Plus content qu'aucun des sept sages.
Son voisin, au contraire, étant tout cousu d'or,
Chantait peu, dormait moins encor ;
C'était un homme de finance.
Si, sur le point du jour, parfois il sommeillait,
Le savetier alors en chantant l'éveillait ;
Et le financier se plaignait
Que les soins de la Providence
N'eussent pas au marché fait vendre le dormir,
Comme le manger et le boire.
En son hôtel il fait venir
Le chanteur, et lui dit : « Or çà, sire Grégoire,
Que gagnez-vous par an ? — Par an ? Ma foi, Monsieur,
Dit, avec un ton de rieur,
Le gaillard savetier, ce n'est point ma manière
De compter de la sorte ; et je n'entasse guère
Un jour sur l'autre : il suffit qu'à la fin
J'attrape le bout de l'année ;
Chaque jour amène son pain.
— Eh bien, que gagnez-vous, dites-moi, par journée ?
— Tantôt plus, tantôt moins : le mal est que toujours
(Et sans cela nos gains seraient assez honnêtes),
Le mal est que dans l'an s'entremêlent des jours
Qu'il faut chômer ; on nous ruine en fêtes ;
L'une fait tort à l'autre ; et Monsieur le curé
De quelque nouveau saint charge toujours son prône. »
Le financier, riant de sa naïveté,
Lui dit : « Je vous veux mettre aujourd'hui sur le trône.
Prenez ces cent écus ; gardez-les avec soin,
Pour vous en servir au besoin. »
Le savetier crut voir tout l'argent que la terre

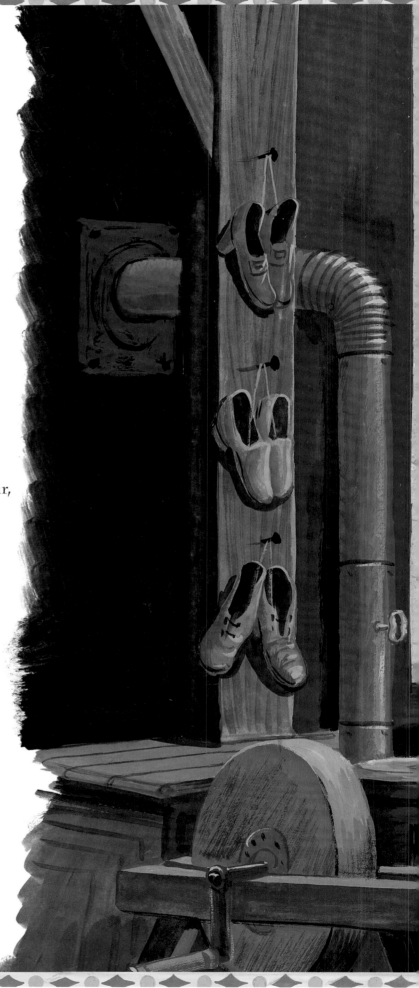

Avait, depuis plus de cent ans,
Produit pour l'usage des gens.
Il retourne chez lui ; dans sa cave il enserre
L'argent, et sa joie à la fois.
Plus de chant : il perdit la voix,
Du moment qu'il gagna ce qui cause nos peines.
Le sommeil quitta son logis ;
Il eut pour hôtes les soucis,
Les soupçons, les alarmes vaines ;
Tout le jour, il avait l'œil au guet ; et la nuit,
Si quelque chat faisait du bruit,
Le chat prenait l'argent. À la fin le pauvre homme
S'en courut chez celui qu'il ne réveillait plus :
« Rendez-moi, lui dit-il, mes chansons et mon somme,
Et reprenez vos cent écus. »

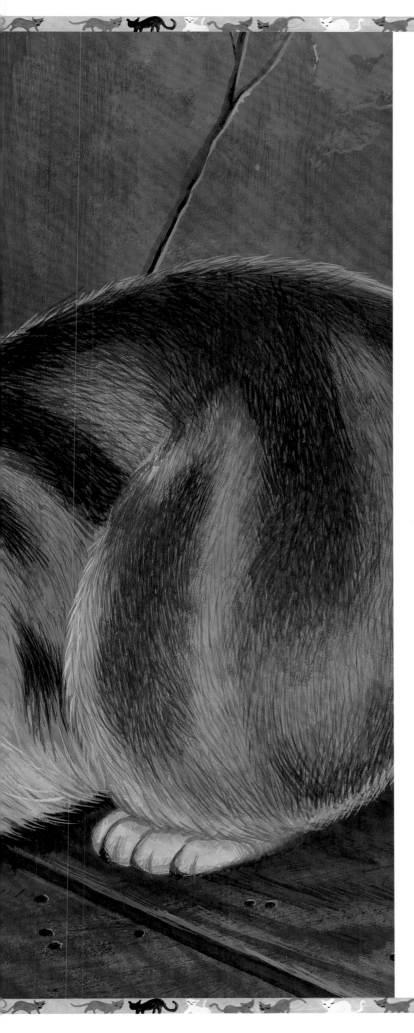

LE VIEUX CHAT
ET LA JEUNE SOURIS

Une jeune souris, de peu d'expérience,
Crut fléchir un vieux chat, implorant sa clémence,
Et payant de raisons le Raminagrobis[1].
 « Laissez-moi vivre : une souris
 De ma taille et de ma dépense
 Est-elle à charge en ce logis ?
 Affamerais-je, à votre avis,
 L'hôte et l'hôtesse, et tout leur monde ?
 D'un grain de blé je me nourris :
 Une noix me rend toute ronde.
À présent je suis maigre ; attendez quelque temps.
Réservez ce repas à Messieurs vos enfants. »
Ainsi parlait au chat la souris attrapée.
 L'autre lui dit : « Tu t'es trompée :
Est-ce à moi que l'on tient de semblables discours ?
Tu gagnerais autant de parler à des sourds.
Chat, et vieux, pardonner ! cela n'arrive guères.
 Selon ces lois, descends là-bas[2],
 Meurs, et va-t'en, tout de ce pas,
 Haranguer les Sœurs filandières[3] :
Mes enfants trouveront assez d'autres repas. »
 Il tint parole.
  Et pour ma fable
Voici le sens moral qui peut y convenir :
La jeunesse se flatte, et croit tout obtenir ;
 La vieillesse est impitoyable.

1. Raminagrobis : nom du Prince des chats dans plusieurs textes.
2. Là-bas : en enfer.
3. Sœurs filandières : divinités qui filaient, puis tranchaient la vie
des hommes.

LE LOUP, LA CHÈVRE
ET LE CHEVREAU

La bique, allant remplir sa traînante mamelle,
  Et paître l'herbe nouvelle,
  Ferma sa porte au loquet,
  Non sans dire à son biquet :
  « Gardez-vous, sur votre vie,
  D'ouvrir que l'on ne vous die,
  Pour enseigne et mot du guet :
  « Foin du loup et de sa race ! »
  Comme elle disait ces mots,
  Le loup de fortune passe ;
  Il les recueille à propos,
  Et les garde en sa mémoire.
  La bique, comme on peut croire,
  N'avait pas vu le glouton.
Dès qu'il la voit partie, il contrefait son ton,
  Et d'une voix papelarde
Il demande qu'on ouvre, en disant : « Foin du loup ! »
  Et croyant entrer tout d'un coup.
Le biquet soupçonneux par la fente regarde :
« Montrez-moi patte blanche, ou je n'ouvrirai point »,
S'écria-t-il d'abord. Patte blanche est un point
Chez les loups, comme on sait, rarement en usage.
Celui-ci, fort surpris d'entendre ce langage,
Comme il était venu s'en retourna chez soi.
Où serait le biquet, s'il eût ajouté foi
  Au mot du guet que de fortune
  Notre loup avait entendu ?

  Deux sûretés valent mieux qu'une,
Et le trop en cela ne fut jamais perdu.

LES ANIMAUX MALADES
DE LA PESTE

Un mal qui répand la terreur,
        Mal que le ciel en sa fureur
Inventa pour punir les crimes de la terre,
La peste (puisqu'il faut l'appeler par son nom),
Capable d'enrichir en un jour l'Achéron,
                Faisait aux animaux la guerre.
Ils ne mouraient pas tous, mais tous étaient frappés :
        On n'en voyait point d'occupés
À chercher le soutien d'une mourante vie ;
        Nul mets n'excitait leur envie ;
        Ni loups ni renards n'épiaient
        La douce et l'innocente proie ;
        Les tourterelles se fuyaient :
        Plus d'amour, partant plus de joie.

Le lion tint conseil, et dit : « Mes chers amis,
        Je crois que le ciel a permis
        Pour nos péchés cette infortune ;
        Que le plus coupable de nous
Se sacrifie aux traits du céleste courroux ;
Peut-être il obtiendra la guérison commune.
L'histoire nous apprend qu'en de tels accidents
        On fait de pareils dévouements.
Ne nous flattons donc point ; voyons sans indulgence
        L'état de notre conscience.
Pour moi, satisfaisant mes appétits gloutons,
        J'ai dévoré force moutons.
        Que m'avaient-ils fait ? Nulle offense ;
Même il m'est arrivé quelquefois de manger
        Le berger.
Je me dévouerai donc, s'il le faut ; mais je pense
Qu'il est bon que chacun s'accuse ainsi que moi ;

Car on doit souhaiter, selon toute justice,
　　　Que le plus coupable périsse.
– Sire, dit le renard, vous êtes trop bon roi ;
Vos scrupules font voir trop de délicatesse.
Eh bien ! manger moutons, canaille, sotte espèce,
Est-ce un péché ? Non, non. Vous leur fîtes, Seigneur,
　　　En les croquant, beaucoup d'honneur ;
　　　Et quant au berger, l'on peut dire
　　　Qu'il était digne de tous maux,
Étant de ces gens-là qui sur les animaux
　　　Se font un chimérique empire. »
Ainsi dit le renard ; et flatteurs d'applaudir.
　　　On n'osa trop approfondir
Du tigre, ni de l'ours, ni des autres puissances,
　　　Les moins pardonnables offenses.
Tous les gens querelleurs, jusqu'aux simples mâtins,
Au dire de chacun, étaient de petits saints.
L'âne vint à son tour, et dit : « J'ai souvenance
　　　Qu'en un pré de moines passant,
La faim, l'occasion, l'herbe tendre, et, je pense,
　　　Quelque diable aussi me poussant,
Je tondis de ce pré la largeur de ma langue.
Je n'en avais nul droit, puisqu'il faut parler net. »
À ces mots on cria haro sur le baudet.
Un loup, quelque peu clerc, prouva par sa harangue
Qu'il fallait dévouer ce maudit animal,
Ce pelé, ce galeux, d'où venait tout leur mal.
Sa peccadille fut jugée un cas pendable.
Manger l'herbe d'autrui ! quel crime abominable !
　　　Rien que la mort n'était capable
D'expier son forfait : on le lui fit bien voir.

Selon que vous serez puissant ou misérable,
Les jugements de cour vous rendront blanc ou noir.